PORTUGUESE SHORT STORIES FOR BEGINNERS AND INTERMEDIATE LEARNERS

Engaging Short Stories to Learn Portuguese and Build Your Vocabulary

1st Edition

LANGUAGE GURU

ISBN: 978-1-950321-23-0

TABLE OF CONTENTS

INTRODUCTION

We all know that immersion is the tried and true way to learn a foreign language. After all, it's how we got so good at our first language. The problem is that it's extremely difficult to recreate the same circumstances when we learn our second language. We come to rely so much on our native language for everything, and it's hard to make enough time to learn the second one.

We aren't surrounded by the foreign language in our home countries. More often than not, our families can't speak this new language we want to learn. And many of us have stressful jobs or classes to attend regularly. Immersion can seem like an impossibility.

What we can do, however, is gradually work our way up to immersion no matter where we are in the world. And the way we can do this is through extensive reading and listening. If you have ever taken a foreign language class, chances are you are familiar with intensive reading and listening. In intensive reading and listening, a small amount of text or a short audio recording is broken down line by line, and every new word is looked up in the dictionary.

Extensive reading and listening, on the other hand, is quite the opposite. You read a large number of pages or listen to hours and hours of the foreign language without worrying about understanding everything. You look up as few words as possible and try to get through material from start to finish as quickly as you can. If you ask the most successful language learners, it's not intensive reading and listening but extensive that delivers the best results. Volume is much more important than total comprehension and memorization.

In order to be able to read like this comfortably, you must practice reading in the foreign language for hours every single day. It takes a massive volume of text before your brain stops intensively reading and shifts into extensive reading.

This book hopes to provide a few short stories in Portuguese you can use to practice extensive reading. These stories were written for both beginner and intermediate students in mind, so they should be a little easier to digest compared to native Portuguese. While it's no substitute for the benefits of reading native Portuguese, we hope these stories help build confidence in your reading comprehension skills overall. They offer supplementary reading practice with a heavy focus on teaching vocabulary words.

Vocabulary is the number one barrier to entry to extensive reading. Without an active vocabulary base of 10,000 words or more, you'll be stuck constantly looking up words in the dictionary, which will be sure to slow down your reading. To speed up the rate at which you read, building and maintaining a vast vocabulary range is absolutely vital. This is why it's so important to invest as much time as possible into immersing yourself in native Portuguese every single day. This includes both reading and listening.

We hope you enjoy the book and find it useful in growing your Portuguese vocabulary and bringing you a few steps closer to extensive reading and fluency!

HOW TO USE THIS BOOK

To simulate extensive reading better, we recommend keeping things simple and using the short stories in the following manner. Read through each story just once and no more. Whenever you encounter a word you don't know, try to guess its meaning using the surrounding context. If its meaning is still unclear, check the vocabulary list at the end of the story. Alternatively, you could even start each story by taking a quick glance at the vocabulary list to familiarize yourself with any new words.

After completing the reading for each chapter, test your knowledge of the story by answering the comprehension questions. Check your answers using the answer key located at the end of the book.

Memorization of any kind is completely unnecessary. Attempting to push new information into your brain forcibly only serves to eat up your time and make it that much more frustrating when you can't recall it in the future. The actual language acquisition process occurs subconsciously, and any effort to memorize new vocabulary and grammar structures only stores this information in your short-term memory.

If you wish to review new information that you have learned from the short stories, there are several options that would be wiser. Spaced Repetition Systems (SRS) allow you to cut down on your review time by setting specific intervals in which you are tested on information in order to promote long-term memory storage. Anki and the Goldlist Method are two popular SRS choices that give you the ability to review whatever information you'd like from whatever material you'd like.

It's also recommended to read each story silently. While reading aloud can be somewhat beneficial for pronunciation and intonation, it's a practice aligned more with intensive reading. It will further slow down your reading pace and make it considerably more difficult for you to get into extensive reading. If you want to work on pronunciation and intonation, take the time to do it during SRS review time. Alternatively, you could also speak to a tutor in the foreign language to practice what you learned.

Trying to actively review everything you learn through these short stories will slow you down on your overall path to fluency. While there may be an assortment of things you want to practice and review, the best way to go about internalizing new vocabulary and grammar is to forget it! If it's that important, it will come up through more reading and listening to more Portuguese. Save the SRS and other review techniques for only a small selected sample of sentences you feel are the most important. Languages are more effectively acquired when we allow ourselves to read and listen to them naturally.

And with that, it is time to get started with our main character Gabriel and the eight stories about his life. Good luck, reader!

CAPÍTULO UM: ALIMENTAÇÃO

Gabriel está de dieta há quatro semanas e já perdeu cinco quilos. Sua nova dieta é muito rigorosa, mas ele a segue com muito rigor.

Para o café da manhã, come uma pequena tigela de farinha de aveia cozida no micro-ondas com água ou leite. Também come uma porção de frutas com aveia, como uma banana, morangos ou uma manga. E, claro, que café da manhã estaria completo sem uma xícara de café?

Para o almoço, Gabriel prefere comer uma refeição leve para maximizar sua perda de peso. Então, ele geralmente come uma salada de espinafre. No alto da sua salada, coloca cenouras, cebolas, pepinos, feijões, *croutons* e nozes. O molho tende a ter muitas calorias; então, ele acrescenta apenas uma pequena quantidade. Se a salada não o satisfizer, ele também come uma sopa. Geralmente é sopa de tomate, sua favorita.

Para o jantar, existem algumas opções disponíveis, dependendo do que ele deseja para aquela noite. Ele pode fazer uma mistura de macarrão e legumes cozida em azeite e especiarias italianas. Ou pode preferir arroz e feijão com alho e molho de cebola. Ele também pode comer um prato de curry tailandês com couve e batata-doce. Todas as receitas exigem um pouco de trabalho, mas, no final, vale a pena.

Tudo estava indo muito bem para Gabriel até a quinta semana começar. Como muitos de nós, ele faz um trabalho estressante e exigente; então nem sempre há tempo suficiente para preparar cada refeição. Sua energia começou a diminuir, enquanto seu apetite e fome começaram a aumentar rapidamente.

Logo a pequena tigela de aveia no café da manhã tornou-se uma grande tigela de cereal açucarado. E café preto, agora, está repleto de um creme altamente calórico.

A salada para o almoço tornou-se *fast food*, já que Gabriel estava sempre atrasado para as reuniões. Originalmente, ele estava bebendo água nesta refeição, assim como nas outras refeições, mas agora estava bebendo refrigerantes.

E jantar depois de trabalhar era impossível. Gabriel voltava para casa exausto do trabalho e não sabia cozinhar. Pizza, sorvete, batatas fritas e lanches eram opções muito mais fáceis, e ajudaram a distraí-lo de toda a ansiedade.

Várias semanas depois, ele recuperou os cinco quilos que havia perdido e ganhou outros cinco quilos! O fracasso fez com que Gabriel se sentisse ainda pior. Ele jurou que, na sua próxima dieta, seria ainda mais rigoroso e comeria ainda menos.

Infelizmente, ele não percebe que a redução maciça de calorias está causando também uma grande diminuição do seu nível de energia e desejo por uma alimentação que não é saudável. Seria preciso muitas tentativas antes que ele, finalmente, soubesse que começar uma dieta com muitos alimentos saudáveis e reduzir lentamente as calorias era a decisão mais inteligente.

Vocabulário

- alimentação — food
- dieta — diet
- perder peso — to lose weight
- quilos — kilos
- rigoroso — strict
- café da manhã — breakfast
- tigela — bowl
- farinha de aveia — oatmeal, oat flour
- cozinhar — to cook
- micro-ondas — microwave
- água — water
- leite — milk
- uma porção de — a serving of
- fruta — fruit
- morango — strawberry
- manga — mango
- claro — of course, clear
- xícara de café — cup of coffee
- almoço — lunch
- preferir — to prefer

- refeição leve — light meal
- salada de espinafre — spinach salad
- cenouras — carrots
- cebolas — onions
- pepinos — cucumbers
- feijões — beans
- croutons — croutons
- nozes — nuts
- molho para salada — salad dressing
- calorias — calories
- acrescentar — to add
- uma pequena quantidade — a small dab
- satisfazer — to fill up
- sopa — soup
- sopa de tomate — tomato soup
- favorito — favorite
- jantar — dinner
- opções — options
- disponível — available
- noite — night
- mistura de macarrão e legumes — pasta and vegetable mix

- azeite — olive oil
- especiarias italianas — Italian spices
- arroz — rice
- molho de alho e cebola — garlic and onion sauce
- prato de curry tailandês — Thai curry dish
- couve — kale
- batata-doce — sweet potato
- receitas — recipes
- valer a pena — to be worth it
- trabalho estressante e exigente — stressful and demanding job
- preparar uma refeição — to prepare a meal
- energia — energy
- diminuir — to decrease
- apetite — appetite
- fome — hunger
- aumentar — to increase
- cereal açucarado — sugary cereal
- repleto(a) — full
- creme altamente calórico — high calorie creamer
- reuniões — meetings
- refrigerante — soda

- impossível — impossible
- exausto(a) — exhausted
- pizza — pizza
- sorvete — ice cream
- batatas fritas — french fries
- lanches — snacks
- distrair — to distract
- ansiedade — anxiety
- recuperar — to recover
- ganhar peso — to gain weight
- fracasso — failure
- infelizmente — unfortunately
- perceber — to realize
- redução maciça — massive reduction
- desejo — desire
- nível — level
- saudável — healthy
- tentativas — attempts
- alimentos — foods
- reduzir lentamente — to slowly reduce
- decisão — decision

Perguntas de compreensão

1. Quanto molho Gabriel põe na sua salada?
   A) Absolutamente nada
   B) Uma grande quantidade
   C) Uma pequena quantidade
   D) Até transbordar

2. Qual é a comida favorita de Gabriel para o jantar?
   A) Uma mistura de massa e legumes cozidos em azeite e especiarias italianas
   B) Arroz e feijão cobertos com molho de alho e cebola
   C) Um prato de caril tailandês com couve e batata-doce
   D) A história não conta qual é a comida favorita de Gabriel.

3. O que começou a acontecer durante a quinta semana da dieta de Gabriel?
   A) Sua energia começou a aumentar, enquanto seu apetite e fome começaram a diminuir rapidamente.
   B) Sua energia começou a diminuir, enquanto seu apetite e fome começaram a aumentar rapidamente.
   C) Sua energia permaneceu a mesma enquanto seu apetite e fome começaram a aumentar rapidamente.
   D) Sua energia começou a diminuir, enquanto seu apetite e fome permaneceram os mesmos.

4. Pizzas, sorvetes, salgadinhos e lanches são geralmente considerados como:
   A) Comida saudável
   B) Um café da manhã bem equilibrado
   C) *Junk food*
   D) Alimentos de baixa caloria

5. Se Gabriel começou sua dieta com 90 quilos, quantos quilos ele pesava no final da história?
   A) 85 quilos
   B) 90 quilos
   C) 95 quilos
   D) 100 quilos

English Translation

Gabriel has been on a diet now for four weeks and has already lost five kilos. His new diet is very strict, but he follows it extremely closely.

For breakfast, he eats a small bowl of oatmeal cooked in the microwave with either water or milk. He also has a serving of fruit with his oatmeal, like a banana, strawberries, or a mango. And of course, what breakfast would be complete without a cup of coffee?

For lunch, Gabriel prefers to eat a light meal to maximize his weight loss, so he usually has a spinach salad. On top of his salad, he puts carrots, onions, cucumbers, beans, croutons, and nuts. Dressing tends to have a lot of calories, so he adds just a small dab. If the salad does not fill him up, he'll also eat some soup. Usually, it's tomato soup, as that is his favorite.

For dinner, there are a few options available, depending on what he wants that night. He can have a pasta and vegetable mix cooked in olive oil and Italian spices. Or he can have rice and beans topped with a garlic and onion sauce. He can also have a Thai curry dish with kale and sweet potato. All choices require some cooking, but it's worth it in the end.

All was going pretty well for Gabriel until the fifth week started. Like many of us, he works a stressful and demanding job, so there wasn't always enough time to prepare every meal. His energy started dropping, while his appetite and hunger started rising rapidly.

Soon, the small bowl of oatmeal for breakfast became the large bowl of sugary cereal. And the black coffee was now drowned in a high calorie coffee creamer.

The salad for lunch turned into fast food meals, since Gabriel was always running late for meetings. Originally, he was drinking water with this meal as well as every meal, but now it was soda.

And dinner was just hopeless after a while. Gabriel would come home exhausted from work and could not bring himself to cook. Pizza, ice cream, French fries, and chips were much easier choices and helped take his mind off all the anxiety.

Several weeks later, he had regained all five kilos he had lost and even gained an additional five kilos on top of that! The failure made Gabriel feel even worse. He vowed, for his next diet, that he would be even more strict and eat even less food.

Unfortunately, he doesn't realize that the massive drop in calories is causing an equally massive dip in his energy levels and cravings for junk food. It would take many attempts before he finally learned that starting his diet with lots of healthy foods and slowly cutting down calories would be the wiser move.

CAPÍTULO DOIS: EXERCÍCIOS

Gabriel decide que ele deveria realmente começar a cuidar melhor de si mesmo através do exercício. Isto ajudará ele a gerenciar seu estresse e até mesmo a perder o peso extra que ele ganhou. A partir da próxima semana, começará uma rotina onde irá correr cinco dias por semana.

No primeiro dia, ele se levanta mais cedo, antes do trabalho, e calça os tênis, ansioso para começar. Depois de alguns alongamentos básicos, ele começa a correr e tudo parece estar indo bem. Em dois minutos, no entanto, Gabriel está sem fôlego. Ele está ofegando e sua respiração se torna superpesada. E depois de apenas cinco minutos, a corrida é substituída pela caminhada. Ele percebe a verdade. Ele está fora de forma.

Com o passar do tempo, os dias se tornam semanas. As semanas tornam-se meses. Gabriel agora pode correr continuamente por 30 minutos. *Dentro de um ano ou dois, eu poderia estar correndo uma maratona*, ele pensa. Enquanto ele está orgulhoso de sua melhoria, fazer nada mais do que cárdio tornou-se extremamente chato. Então, o próximo passo é uma mudança de rotina.

Os amigos de Gabriel, Lucas e Pedro, convidaram ele para levantar pesos depois do trabalho. Então, todos se encontram na academia, ansiosos para passar algum tempo juntos. Eles decidem se comprometer com um programa de exercícios cinco dias por semana, onde trabalharão uma parte do corpo por semana: o peito, as costas, os ombros, as pernas e os braços.

Todos os dias, os exercícios exigem um esforço intenso, mas o aumento das endorfinas no final de cada treino faz valer a pena. Para se refrescar, os homens relaxam andando em esteiras ou suando na sauna por 10 minutos.

Algum tempo se passa e Gabriel decide que o levantamento de pesos não é uma boa opção para ele. Lucas e Pedro tornaram-se muito competitivos com isso, e a intensidade dos treinos tornou-se mais dolorosa do que divertida. No ginásio, no entanto, eles oferecem aulas de ioga. Então, Gabriel está ansioso para começar.

As aulas ensinam uma variedade de alongamentos e posturas projetadas para soltar o corpo e acalmar a mente. As lições não são fáceis, de qualquer maneira, e elas fazem todos os alunos suarem. No entanto, não é tão intenso quanto o levantamento de pesos. E é muito mais divertido e relaxante do que correr. Gabriel deixa cada aula sentindo-se revigorado e animado para voltar e fazer mais. Ele até começa a conversar com algumas garotas bonitas, que espera ansiosamente ver toda semana. É uma rotina com um incentivo extra para continuar.

Vocabulário

- exercícios — exercises
- cuidar — to take care of
- gerenciar — to manage
- rotina — routine
- correr — to run
- levantar mais cedo — to wake up extra early
- tênis — tennis shoes
- ansioso(a) — eager
- alongamentos básicos — basic stretches
- no entanto — however
- sem fôlego — to be out of breath
- ofegante — panting, gasping
- respiração — breathing
- superpesada(o) — super heavy
- caminhada — walking
- estar fora de forma — to be out of shape
- com o passar do tempo — as time passes
- continuamente — continually
- maratona — marathon
- orgulhoso(a) — proud

- melhoria — improvement
- cárdio — cardio
- chato(a) — boring
- passo — step, move
- convidar — to invite
- levantar pesos — to lift weights
- academia — gym
- passar um tempo — to spend some time
- comprometer-se — to commit
- corpo — body
- peito — chest
- costas — back
- ombros — shoulders
- pernas — legs
- braços — arms
- esforço intenso — intense effort
- endorfinas — endorphins
- treino — workout, training
- refresque-se — to cool down
- relaxar — to relax
- esteiras — treadmills

- suar — to sweat
- sauna — sauna
- muito competitivo(a) — too competitive
- intensidade — intensity
- doloroso(a) — painful
- divertida(o) — fun
- oferecer — to offer
- aulas de ioga — yoga classes
- ensinar — to teach
- variedade — variety
- posturas — poses
- projetadas(os) — designed
- soltar — to loosen
- acalme a mente — to calm the mind
- lições — lessons
- de qualquer maneira — anyway
- deixar — to leave
- sentir-se revigorado(a) — to feel refreshed
- animado(a) para voltar — excited to come back
- incentivo extra — extra incentive

Perguntas de compreensão

1. Que tipo de sapatos Gabriel usou?
   - A) Chuteiras
   - B) Tênis
   - C) Saltos altos
   - D) Botas de corrida

2. Por que Gabriel parou de correr?
   - A) Cumpriu o seu objetivo.
   - B) Estava cansado de acordar cedo.
   - C) Estava muito entediado.
   - D) Não queria correr uma maratona.

3. Gabriel, Lucas e Pedro se comprometeram com um programa de exercícios que focava em...
   - A) peito, costas, ombros, pernas e braços.
   - B) peito, costas, corrida, pernas e cárdio.
   - C) peito, natação, ombros, corrida e braços.
   - D) ioga, cárdio, *jogging*, levantamento de pesos e esportes.

4. Como os homens relaxam após o exercício?
   - A) Executam os exercícios enquanto ouvem música.
   - B) Eles fazem uma rotina rápida de ioga de 10 minutos.
   - C) Nadam na piscina ou tomam um banho quente.
   - D) Eles andam em esteiras ou suam na sauna por 10 minutos.

5. Por que Gabriel parou de levantar pesos?
   - A) Ele estava muito entediado.
   - B) Os treinos eram muito intensos e competitivos.
   - C) Lucas e Pedro pararam de levantar pesos.
   - D) Gabriel sofreu uma lesão.

English Translation

Gabriel decides that he should really start taking better care of himself by exercising. It will help manage his stress and even help him lose the extra weight he put on. Starting next week, he will begin a jogging routine, where he will run five days a week.

On the first day, he wakes up extra early before work and puts on his tennis shoes, eager to get started. After some basic stretches, the jogging starts, and everything seems to go well. Within two minutes, however, Gabriel is out of breath. He's wheezing, and his breathing becomes super heavy. And after just five minutes, the jogging is replaced by walking. He realizes the truth. He is out of shape.

As time passes, days become weeks. Weeks become months. Gabriel is now able to run continually for 30 minutes. Within a year or two, he could be running a marathon, he thinks. While he's proud of his improvement, doing nothing but cardio has grown extremely boring, so a change of routine is the next step.

Gabriel's friends Lucas and Pedro have invited him to come lift weights after work, so they all meet at the gym, eager to spend some time together. They decide to commit to a workout program five days a week, where they will work one body part per week: chest, back, shoulders, legs, and arms.

Each day requires strenuous effort, but the endorphin rush at the end of each workout makes it all worth it. To cool down, the men relax by walking on the treadmills or sweating it out in the sauna for 10 minutes.

Some time passes, and Gabriel decides that weightlifting isn't a good fit for him. Lucas and Pedro get too competitive with it, and the intensity of the workouts has become more painful than fun. At the gym, however, they offer yoga classes, so Gabriel signs up, eager to start.

The classes teach a variety of stretches and poses designed to loosen the body and calm the mind. The lessons are not easy by any means, and they make all the students sweat. Yet, it's not as intense as weightlifting. And it's much more fun and relaxing than jogging. Gabriel leaves each class feeling refreshed and excited to come back for more. He even starts chatting with some pretty girls whom he looks forward to seeing every week. It's a routine with an extra incentive to maintain.

CAPÍTULO TRÊS: NAMORO

Seria ótimo ter um encontro com uma dessas garotas da classe, pensa Gabriel consigo mesmo. *Espero que eu possa encontrar algo em comum com uma delas e talvez marcar um encontro.*

Os *hobbies* dele, de alguma maneira, se relacionavam. Todo mundo gosta de assistir à TV e a filmes, incluindo Gabriel, mas ele poderia encontrar uma garota que gosta de videogames? Senão, ele poderia encontrar alguém tão apaixonado por beisebol e basquete profissional quanto ele? Seria incrível se ele tivesse alguém para conversar sobre política, História e governo.

A primeira garota que conheceu na aula de ioga foi Ana, que, imediatamente, pareceu muito inteligente. Ela era uma ótima leitora, mas lia mais ficção do que não-ficção. Sua paixão era literatura, e ele podia conversar com ele por horas sobre a história que ele estava lendo, na época. Além disso, ela passou muito tempo cuidando de seu cachorro e levando-o para longas caminhadas. E, de tempos em tempos, ela se permitia uma garrafa de vinho e assistia a filmes de terror.

Márcia foi a segunda garota que conheceu na aula, embora nem sempre tivesse muito tempo para conversar. Sempre havia um lugar onde ela precisava estar. Era óbvio que ela estava muito em forma, e Gabriel, depois, soube que ela era uma treinadora de fisiculturismo e atleta. Se ela não tivesse um compromisso com um cliente, estava ocupada administrando seu negócio. Márcia teve muitos seguidores nas redes sociais e criou uma marca de roupas que vendia camisetas, moletons, bonés e acessórios. Ele poderia dizer que ela era uma viciada em trabalho, mas teve que admitir que ela foi muito bem-sucedida.

A última garota com quem Gabriel passou algum tempo foi Fernanda, que era muito popular. Ela tinha um grande círculo de amigos para conversar e sair. Ficou claro que ela era extrovertida. Se ela não estava mandando mensagens de texto, tinha ido com os amigos para beber e para dançar nas discotecas. Na ocasião em que decidiu ficar em casa, Fernanda assistiu um *anime* japonês e jogou videogame.

Gabriel foi imediatamente atraído por Fernanda, quando, finalmente, encontrou alguém com quem podia falar sobre os jogos atuais e futuros. Suas personalidades, no entanto, não pareciam combinar muito bem. A química simplesmente não estava lá. Eles nunca pareciam capazes de falar sobre qualquer coisa fora de seus passatempos em comum.

Márcia nunca teve muito tempo para conversar, mas Ana estava mais do que disposta a estar com ele. Gabriel a ouviu falar sobre todos os seus livros favoritos e até mesmo o convenceu a tentar ouvir um audiolivro. Ana não demonstrou muito interesse em esportes ou História, mas se sentiu atraída pela paixão e energia que Gabriel transmitia toda vez que falava sobre assuntos que lhe interessavam. O interesse mútuo foi o suficiente para começarem a namorar.

Vocabulário

- namoro — dating
- ter um encontro — to go on a date
- classe — class
- encontrar algo em comum — to find something in common
- identificar-se com — to identify with
- assistir à TV e a filmes — to watch TV and movies
- videogames — videogames
- apaixonado(a) — passionate
- beisebol — baseball
- basquete profissional — professional basketball
- incrível — incredible
- política — politics
- história — history
- governo — government
- conhecer — to get to know
- imediatamente — immediately
- ótima(o) leitora (leitor) — big reader
- ficção — fiction
- não-ficção — non-fiction
- paixão — passion

- literatura — literature
- na época — at the time
- além disso — in addition
- cuidar de um cachorro — to take care of a dog
- longas caminhadas — long walks
- de tempo em tempo — from time to time
- permitir — to allow, to permit
- garrafa de vinho — bottle of wine
- filmes de terror — horror movies
- óbvio(a) — obvious
- em forma — in shape, fit
- treinador(a) — coach
- fisiculturismo — bodybuilding
- atleta — athlete
- ter um compromisso — to have an appointment
- cliente — client
- administrar um negócio — to manage a business
- seguidores(as) nas redes sociais — social media followers
- criar — to create
- marca de roupa — clothing brand
- camisetas — t-shirts

- moletons — sweat shirts
- bonés — hats
- acessórios — accessories
- viciado(a) em trabalho — workaholic
- admitir — to admit
- bem-sucedido(a) — successful
- popular — popular
- círculo — circle
- sair — to hang out
- extrovertido(a) — extroverted
- mandar mensagens de texto — to send text messages
- dançar — to dance
- discotecas — nightclubs
- ficar em casa — to stay home
- *anime* japonês — Japanese anime
- jogar — to play
- atual — current
- futuro — future
- combinar — to match, to combine
- química (romântica) — (romantic) chemistry
- estar disposto(a) — to be willing to

- convencer — to convince
- audiolivros — audiobooks
- esportes — sports
- atrair — to attract
- transmitir — to transmit, to convey
- assuntos — subjects
- interesse mútuo — mutual interest

Perguntas de compreensão

1. Se você tem algo em comum com alguém, isso significa que...
   A) os dois gostam um do outro.
   B) eles estão apaixonados um pelo outro.
   C) eles não gostam um do outro.
   D) eles têm um passatempo mútuo em que ambos estão interessados.

2. Política, História e governo são tipicamente considerados...
   A) ficção.
   B) não-ficção.
   C) literatura.
   D) Todos os itens

3. Márcia não era apenas uma atleta de fisiculturismo e atleta, mas também...
   A) proprietária de uma empresa.
   B) alcoólatra.
   C) uma instrutora de ioga.
   D) popular.

4. Qual das seguintes opções descreve melhor um extrovertido?
   A) Alguém que é alto e chato
   B) Alguém que é destemido e corajoso
   C) Alguém que é falador e aberto
   D) Alguém tímido e reservado

5. Qual casal teve melhor química, no final?
   - A) Gabriel e Fernanda
   - B) Gabriel e Márcia
   - C) Gabriel e Ana
   - D) Gabriel e a instrutora de ioga

English Translation

"It would be really nice to go on a date with one of those girls from class," Gabriel thinks to himself. "Hopefully, I can find something in common with one of them and maybe make a connection."

His hobbies were somewhat relatable. Everybody likes watching TV and movies, including Gabriel, but would he be able to find a girl who likes video games? If not, could he find someone into professional baseball and basketball as much as he was? It would be amazing if he had someone to talk to about politics, history, and government.

The first girl he met from yoga class was Ana, who seemed really smart right away. She was a big reader, but of fiction rather than non-fiction. Her passion was literature, and she could talk for hours about the current story she was reading. Besides that, she spent a lot of time taking care of her dog and taking him for long walks. And occasionally, she'd treat herself to a bottle of wine and watch horror movies.

Marcia was the second girl he got to know from class, although she didn't always have a lot of time to talk. There was always somewhere she needed to be. It was obvious that she was extremely fit and in great shape, and Gabriel later learned that she was a female bodybuilding athlete and coach. If she didn't have an appointment with a client, she was busy building her business. Marcia had a big social media following and built a clothing brand that sold T-shirts, sweat shirts, hats, and accessories. You could say she was a workaholic, but you had to admit she was very successful.

The last girl Gabriel spent time with was Fernanda, who was a bit of a social butterfly. She had a large social circle of friends to talk to and hang out with. It was clear that she was an extrovert. If she wasn't texting, she was out with friends, drinking and clubbing. On the occasion that she did decide to stay home, Fernanda would watch Japanese anime and play video games.

Gabriel was immediately drawn to Fernanda, as he finally found someone he could nerd out with about current and upcoming games. Their personalities, however, didn't seem to match very well. The chemistry just wasn't there. They never seemed to be able to talk about anything outside of their mutual hobby.

Marcia never really had much time to talk, but Ana was more than willing to spend some time with him. Gabriel listened to her talk about all her favorite books, and she even convinced him to try reading a book via audiobooks. Ana didn't show much interest in sports or history, but she was attracted to the passion and energy Gabriel emitted whenever he spoke about subjects he cared about. Their mutual interest in one another was enough for them to start dating.

CAPÍTULO QUATRO: TRABALHO

Enquanto a vida social de Gabriel estava florescendo, sua vida no trabalho era o polo oposto. Ele trabalha em um escritório de uma companhia de seguros e, embora o pagamento seja bom, a carga de trabalho é esmagadora.

Todas as manhãs, ele verifica seu e-mail de trabalho para encontrar 50 novos aplicativos que devem ser respondidos imediatamente. Se ele não enviar e processar e-mails rapidamente antes do almoço, estará atrasado e, provavelmente, terá que fazer horas extras. É extremamente estressante, ainda mais quando o seu chefe está olhando por cima do ombro.

O chefe de Gabriel tem que ser rigoroso com todos os funcionários. Um erro poderia custar à empresa uma pequena fortuna. Não só o funcionário será severamente punido, mas o chefe também o será.

O seguro é um negócio difícil de trabalhar. Não é para os fracos. Reuniões, documentos e regulamentos são da maior importância, e ele não pode se dar ao luxo de perder ou esquecer-se de algo. Ele poderia ser demitido por isso!

Quando vou me aposentar?, pergunta-se Gabriel, pelo menos uma vez por semana. E ele tem sorte se essa questão só aparecer uma vez naquela semana. Estresse e ansiedade estão levando ele ao limite. É apenas uma questão de tempo antes de estourar.

Como teria sido a vida se ele tivesse escolhido um curso universitário diferente? E se ele tivesse entrado na ciência da computação? Ele teria gostado mais de programação? O que aconteceria se ele tivesse se esforçado mais para jogar no time de beisebol da faculdade? Ele teria atingido o nível profissional? O que aconteceria se ele tivesse feito isso como jogador profissional quando estivesse na escola e tivesse que jogar videogames para ganhar a vida? Teria sido um sonho tornado realidade.

A vida não é assim para Gabriel, infelizmente. Ele pode ficar em um trabalho que odeia, mas, pelo menos, espera que as coisas mudem. Muitos de seus colegas de trabalho parecem não ter esta mesma esperança. Depressão e ansiedade são comuns em seu local de trabalho, mas há um grupo de colegas com quem é divertido conversar e brincar para aliviar o clima. Eles tornam um pouco mais fácil passar todos os dias. Isto faz toda a diferença.

Há outros, no entanto, que parecem ser absolutamente esmagados pela dureza da vida e agora são apenas cascas de seus antigos seres. Essas pessoas assustam Gabriel mais do que qualquer chefe.

Mas, quando as coisas vão mudar? Como eles vão mudar? A única coisa que é verdade é que algo deve mudar.

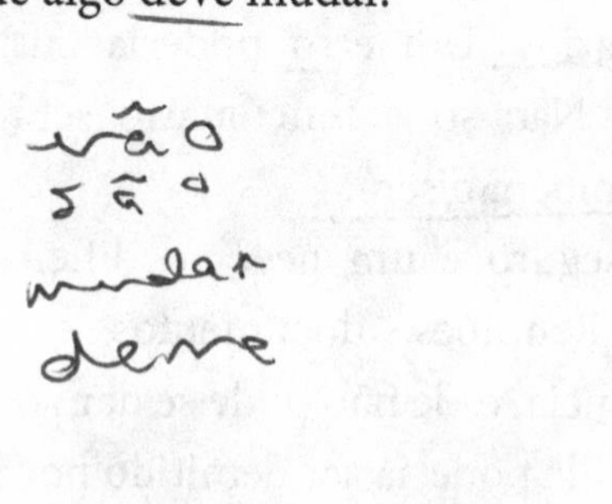

Vocabulário

- trabalho — work
- vida social — social life
- florescer — to flourish
- polo oposto — polar opposite
- escritório — office
- companhia de seguros — insurance company
- pagamento — pay, salary
- carga de trabalho — workload
- esmagador(a) — overwhelming
- verificar — to check
- aplicativos — applications
- responder — to respond
- enviar — to send
- processar — to process
- provavelmente — probably
- fazer hora extra — to work overtime
- extremamente — extremely
- chefe — boss
- funcionários(as) — employees
- erro — mistake

- uma pequena fortuna — a small fortune
- ser severamente punido — to be severely punished
- fraco(a) — weak
- documentos — documents
- regulamentos — regulations
- maior importância — utmost importance
- poder dar-se ao luxo de — to be able to afford to
- esquecer-se — to forget
- ser demitido(a) — to be fired
- aposentar — to retire
- perguntar-se — to wonder
- pelo menos — at least
- sorte — luck
- questão — question
- aparecer — to appear
- estar levando ao limite — to be pushed to one's limits
- questão de tempo — matter of time
- estourar — to burst
- escolher — to choose
- curso universitário — university course
- ciência da computação — computer science

- programação — programming
- esforçar-se — to try hard, to make an effort
- time de beisebol da faculdade — college baseball team
- atingir — to reach
- escola — school
- para ganhar a vida — for a living
- um sonho tornado realidade — a dream come true
- assim — like this, that way
- odiar — to hate
- colegas de trabalho — co-workers
- depressão — depression
- local de trabalho — workplace
- colegas — colleagues
- brincar — to joke, to joke around
- aliviar o clima — to lighten the mood
- fazer toda a diferença — to make all the difference
- absolutamente — absolutely
- esmagar — to crush
- dureza — harshness
- cascas de seu antigo ser — shells of their former selves
- assustar — to scare

Perguntas de compreensão

1. O que acontecerá se Gabriel não enviar e processar rapidamente e-mails antes do almoço?
   A) Ele será demitido e enviado para casa imediatamente.
   B) Ele poderá ir para casa cedo e jogar videogames no seu computador.
   C) Ele não será elegível para uma promoção nos próximos cinco anos.
   D) Ele será flagrado atrasado e, provavelmente, terá que trabalhar horas extras.

2. Quem poderia ser disciplinado por um erro no escritório?
   A) O empregado
   B) O chefe
   C) O empregado e o chefe
   D) Apenas Gabriel

3. Ao longo de sua vida, Gabriel considerou múltiplas carreiras, mas não...
   A) ensinar em um instituto.
   B) tornar-se um jogador profissional.
   C) jogar beisebol profissionalmente.
   D) tornar-se um programador de computador.

4. Um colega é outra palavra para...
   A) um chefe.
   B) um amigo.
   C) um supervisor.
   D) um colega de trabalho.

5. Aqueles que são esmagados pela dureza da vida provavelmente experimentam...
   A) dores de estômago.
   B) depressão e ansiedade.
   C) sonhos que se realizam.
   D) um alívio nos seus humores.

English Translation

While Gabriel's social life was blooming, his life at work was the polar opposite. He works at an office for an insurance company, and while the pay is good, the workload is overwhelming.

Each morning, he checks his work email to find 50 new requests that have to be immediately dealt with. If he doesn't quickly dispatch and process the emails before lunch, he will get caught behind schedule and most likely have to work overtime. It's extremely stressful and more so when his boss is watching him over his shoulder.

Gabriel's boss has to be strict with all the employees. One mistake and it could cost the company a small fortune. Not only will the employee be disciplined harshly, but the boss will be too.

Insurance is a difficult business to work in. It is not for the weak. Meetings, documents, and regulations are all of the utmost importance, and you cannot afford to miss or forget anything. You could be fired for it!

"How am I going to make it to retirement?" Gabriel asks himself at least once a week. And he's lucky if this question only comes up once that week. Stress and anxiety are pushing him to his limits. It's only a matter of time before he breaks.

What would life have been like if he had chosen a different college degree? What if he went into computer science? Would he have enjoyed programming more? What if he pushed himself harder while playing for the college baseball team? Would he have made it to the professional level? What if he had made it as a pro-gamer back when he was in school and got to play video games for a living? It would have been a dream come true.

Life didn't turn out that way for Gabriel, unfortunately. He might be stuck with a job he hates, but at least he has hope things will change. Many of his co-workers seem to lack that same hope.

Depression and anxiety are common in his workplace, but there are a handful of colleagues who are fun to talk to and crack jokes with to lighten the mood. They make it just a little easier to get through each day. That makes all the difference.

There are others, though, who seem to be absolutely crushed by the harshness of life and are now just shells of their former selves. Those people scare Gabriel more than any boss ever has.

But when will things change? How will they change? The only thing that is certain is that something must change.

CAPÍTULO CINCO: PESSOAS E CIDADE

Antes de seu grande encontro com Ana, hoje, Gabriel teve que fazer algumas coisas para garantir que tudo estivesse pronto. Primeiro, uma ida ao banco era necessária, para que ele pudesse retirar dinheiro suficiente para o dia agitado à frente. No caminho para o banco, ele parou em sua cafeteria favorita para tomar um café, muito necessário para começar o dia.

Então, ele teve que correr ao correio e enviar a correspondência que estava atrasada e quase atrasada. Depois disso, ele foi ao shopping para encontrar uma roupa nova para usar na consulta de hoje. Ele entrou em duas lojas de roupas e até teve tempo suficiente para cortar o cabelo no cabeleireiro.

Às 14 horas, Gabriel e Ana se encontraram, prontos para fazer um passeio pela cidade. Eles começaram a caminhar pelo parque, conversando sobre o que aconteceu durante a semana. Dentro do parque havia uma grande praça, onde o casal apreciou um pequeno concerto de uma banda de rock. Depois de ouvir algumas músicas, eles saíram do parque e dirigiram-se para um parque de diversões.

Devido a um acidente grave, o parque de diversões estava fechado. Então, como um "plano B", o casal decidiu ir ao cinema. Para a sorte de Ana, eles conseguiram encontrar um filme de terror naquela semana. Seria uma hora de espera pelo filme e, então, eles jantaram cedo em um restaurante próximo, com tempo suficiente para voltar ao teatro. O filme acabou por ser bastante genérico e previsível, mas houve uma cena que assustou muito Gabriel e Ana.

Quando a noite chegou, o casal teve a sensação de não querer ficar fora muito tarde na cidade, mas eles concordaram em tomar uma bebida em um bar temático que encontraram procurando em seus celulares. Ele tinha um tema de castelo medieval e estava decorado com estandartes, armaduras e cadeiras que pareciam tronos. A conversa começou entre os dois e, junto, vieram mais bebidas.

Agora os dois estavam embriagados demais para irem para casa em segurança! Não se sentindo como numa noite de discoteca, eles esperaram duas horas para se recuperar antes de voltarem para casa. Chamar um táxi seria uma opção louca e cara, e não era tão difícil esperar. Para passar o tempo, eles caminharam pelo calçadão e pararam na loja de conveniência para um lanche rápido.

Gabriel e Ana realmente gostaram da presença um do outro; então, as horas passaram mais rápido do que o esperado. Mas já era hora de se separarem. Eles compartilharam um breve beijo, junto com alguns sorrisos ousados, e isso foi tudo antes de ambos voltarem para casa.

Vocabulário

- pessoas e cidade — people and city
- garantir — to make sure
- banco — bank
- retirar dinheiro — to withdraw cash
- cafeteria — coffee shop
- correio — post office
- correspondência — mail
- atrasado(a) — overdue
- shopping — shopping mall
- consulta — appointment
- lojas de roupa — clothing stores
- cortar o cabelo — to have one's hair cut
- cabeleireiro(a) — hairdresser, barber
- passeio pela cidade — city tour
- parque — park
- grande praça — large plaza
- casal — couple
- apreciar — to enjoy
- pequeno concerto — small concert
- banda de rock — rock band

- músicas — songs
- dirigir-se (a algum lugar) — to head towards (somewhere)
- parque de diversões — amusement park
- um acidente grave — a serious accident
- fechar — to close down
- plano B — back-up plan
- cinema — movie theater
- conseguir — to manage
- uma hora de espera — an hour-long wait
- restaurante — restaurant
- próximo(a) — near-by
- bastante — quite, rather
- genérico(a) — generic
- previsível — predictable
- cena — scene
- sensação — feeling
- ficar fora muito tarde — to stay out too late
- concordar — to agree
- uma bebida — one drink
- um bar temático — a theme bar
- celulares — smartphones

- castelo medieval — medieval castle
- tema — theme
- decorar — to decorate
- estandartes — banners
- armaduras — armors
- cadeiras — chairs
- tronos — thrones
- embriagado(a) — drunk
- segurança — safety
- chamar um táxi — to call a taxi
- louco(a) — crazy
- caro(a) — expensive
- calçadão — boardwalk
- loja de conveniência — convenience store
- um lanche rápido — a quick snack
- presença — presence
- separar — to part ways
- compartilhar — to share
- beijo breve — brief kiss
- sorrisos ousados — cheeky smiles

Perguntas de compreensão

1. Quando você coloca dinheiro em sua conta bancária, é chamado...
   A) retirada.
   B) verificar o saldo.
   C) abrir uma conta.
   D) fazer um depósito.

2. O que Gabriel fez no shopping?
   A) Jogou videogames na sala de jogos.
   B) Ele saiu com amigos e comprou roupas.
   C) Ele comprou roupas e cortou o cabelo.
   D) Ele cortou o cabelo e almoçou na praça de alimentação.

3. Onde Gabriel e Ana foram imediatamente depois de deixar o parque?
   A) Para o parque de diversões
   B) Voltaram
   C) Para o cinema
   D) Para o restaurante

4. Como o casal descobriu sobre o bar com temática medieval?
   A) Eles andaram à procura de um bar.
   B) Um amigo em comum recomendou-o.
   C) Eles procuraram por bares próximos usando seus celulares.
   D) Eles viram um anúncio sobre o bar.

5. Se você está intoxicado, então não é seguro...
   A) beber mais.
   B) dirigir um carro.
   C) conversar no telefone.
   D) caminhar em público.

English Translation

Before his big date with Ana today, Gabriel had a few errands to run to make sure everything was ready. First of all, a trip to the bank was needed, so he could withdraw enough cash for the busy day ahead. Along the way to the bank, he stopped by his favorite coffee shop to pick up some much needed caffeine to jump-start the day.

Next, he had to make a run to the post office and drop off some mail that was overdue and nearly late. After that, it was off to the mall to find a new outfit to wear on today's date. He perused two clothing stores and even had enough time to get himself a new haircut at the barber shop.

At 2:00 pm, Gabriel and Ana met up, ready to take a tour around town. They started by walking around the park, catching up on what happened with each other during the week. Inside the park was a large plaza, where the couple found a small concert by a rock band. After hearing a few songs, they left the park and drove towards a local amusement park.

Due to a large accident, the amusement park had to be shut down, so as a back-up plan, the couple decided to go to the movie theater instead. To Ana's luck, they were able to find a horror movie playing that week. It would be an hour-long wait for the movie, so they grabbed an early dinner at a nearby restaurant with just enough time to make it back to the theater. The movie turned out to be fairly generic and predictable, but there was one jumpscare that got both Gabriel and Ana really, really good.

As the evening came, the couple had a mutual feeling of not wanting to stay out too late in the city, but they agreed to have one drink at a unique bar they found searching on their smartphones. It had a medieval castle theme and was decorated with banners, suits of armor, and chairs that looked like thrones. The conversation picked up between the two and along with it came more drinking.

Now they were both too intoxicated to drive home safely! Not feeling up for a night of clubbing, they would wait two hours to sober up before driving home. Calling a taxi would be a crazy expensive option, and it wasn't all that much of a wait to begin with. To pass the time, they walked along the boardwalk and stopped by the convenience store for a quick snack.

Gabriel and Ana thoroughly enjoyed each other's presence, so the hours passed quicker than expected, but it was time to part ways. A brief kiss was shared, along with a couple of cheeky smiles, and that was it before they both drove home.

CAPÍTULO SEIS: FICANDO EM CASA

Era uma tarde de domingo. Gabriel não tinha nenhum plano em particular e, então, dormiu e se permitiu recuperar o sono que perdeu durante a semana. No entanto, não seria um dia completamente preguiçoso, pois ele tinha que fazer várias tarefas domésticas.

Talvez o mais importante de tudo foram as contas vencidas, que precisavam ser pagas. Morar não é grátis, afinal. Aluguel, eletricidade, água, Internet, empréstimos estudantis e planos telefônicos têm pagamentos atrasados. No entanto, graças à tecnologia, tudo isso pode ser pago on-line, sem sair de casa.

Então, a roupa suja havia se acumulado durante a semana, e algumas roupas seriam necessárias para a próxima semana. Ele nunca se incomodou em classificar suas roupas em branco, escuro e coloridas; em vez disso, ele simplesmente jogaria tudo o que pudesse em cada carga, acrescentaria um pouco de sabão em pó e um amaciante de roupas e ligaria a máquina de lavar roupas.

Enquanto esperava que cada carregamento acabasse, achou que continuaria a ser produtivo lavando a louça e aspirando a casa. A casa de Gabriel não era absolutamente impecável, mas era arrumada um pouco a cada semana para ficar a mais limpa possível. Esta semana, ele faria um trabalho extra na cozinha. Ele limparia a geladeira, jogando fora a comida vencida. Também esfregou os balcões com desinfetante e removeu todas as migalhas de comida do chão. E acabaria varrendo o chão com sua vassoura e sua pá de lixo. Limpar o chão poderia esperar mais uma semana, ele pensou.

Gabriel estava mais interessado em passar o resto do dia no computador, jogando videogames. Ele era fã de jogos de estratégia e podia passar horas criando novas estratégias para testar contra seus amigos on-line e até mesmo em jogos *single player.* Quando precisava de uma pausa, ele ocasionalmente se levantava para se espreguiçar rapidamente, olhar para fora das janelas, aquecer um pouco de comida no micro-ondas e, então, sentava-se novamente para jogar mais.

Depois de passar muitas horas na frente do computador, houve uma pequena crise existencial. Foi realmente sensato gastar tanto tempo jogando, quando poderia fazer algo mais significativo? Claro, havia vídeos que ele poderia assistir on-line, mas isso seria diferente? E, então, ele pegou os fones de ouvido em seu quarto e começou a ouvir alguns dos audiolivros que Ana tinha recomendado.

Ouvindo o livro, ele instantaneamente sentiu que estava usando corretamente seu tempo, e até se deu a oportunidade de fazer alguma autorreflexão. Enquanto ele continuava escutando, ele vagou ao redor de sua casa. Ele abriu e fechou as portas do seu armário sem nenhum motivo específico. Colocou a mão no sofá e deixou-a deslizar enquanto ele andava. Não havia mesa na sala de jantar para repetir esta ação, já que ele morava sozinho e costumava comer na cozinha ou na varanda.

Antes que ele percebesse, eram 22 horas. Era hora de dormir. Enquanto o audiolivro não terminava, ele certamente tinha algo novo para falar sobre o próximo fim de semana quando foi para a reunião de família. Ele poderia até trazer Ana e apresentá-la como quem tinha mostrado o livro para ele.

Vocabulário

- ficando em casa — staying at home
- tarde de domingo — Sunday afternoon
- recuperar o sono (atrasado) — to catch up on sleep
- completamente preguiçoso — completely lazy
- tarefas domésticas — household chores
- contas vencidas — unpaid bills
- grátis — free
- afinal — after all
- aluguel — rent
- eletricidade — electricity
- empréstimos estudantis — student loans
- planos telefônicos — phone plans
- ter pagamentos atrasados — to have payments due
- tecnologia — technology
- roupa suja — dirty laundry
- acumular — to accumulate, to pile up
- incomodar-se — to bother
- classificar — to sort
- escuro(a) — dark
- colorido(a) — colored

- em vez disso — instead
- jogar — to throw, to play
- carga — load
- sabão em pó — laundry detergent
- amaciante de roupas — fabric softener
- ligar — to turn on
- máquina de lavar roupa — laundry machine
- carregamento — load
- achar — to think
- produtivo(a) — productive
- lavar a louça — to wash the dishes
- aspirar a casa — to vacuum the house
- impecável — spotless
- arrumar — to tidy up
- mais limpa possível — as clean as possible
- cozinha — kitchen
- geladeira — fridge, fridgerator
- jogar fora — to throw away
- comida vencida— expired food
- esfregar os balcões — to scrub the counters
- desinfetante — disinfectant

- remover — to remove
- migalhas de comida — food crumbs
- chão — floor
- varrer o chão — to sweep the floor
- vassoura e pá de lixo — broom and dustpan
- limpar o chão — to mop the floor
- computador — computer
- jogos de estratégia — strategy games
- uma pausa — a break
- ocasionalmente — occasionally
- espreguiçar — to stretch
- olhar para fora das janelas — to peer out the windows
- aquecer — to heat up
- crise existencial — existential crisis
- sensato(a) — wise
- gastar — to spend
- significativo(a) — meaningful
- pegar — to pick up
- fones de ouvido — headphones
- quarto — bedroom
- recomendar — to recommend

- instantaneamente — instantly
- corretamente — rightly
- oportunidade — opportunity
- autorreflexão — self-reflection
- vagar ao redor — to wander around
- portas de armário — closet doors
- sem nenhum motivo específico — no reason in particular
- sofá — couch
- deixar — to let, to leave
- deslizar — to glide, to slide
- mesa — table
- sala de jantar — dining room
- repetir — to repeat
- ação — action
- morar sozinho(a) — to live alone
- varanda — balcony, porch
- hora de dormir — bedtime
- certamente — certainly
- reunião de família — family get-together
- apresentar — to introduce

Perguntas de compreensão

1. Se alguém precisa dormir, significa que...
   A) tem dormido demais.
   B) dorme muito pouco.
   C) gosta de dormir.
   D) tem dificuldade em adormecer.

2. Qual das seguintes opções não é considerada um serviço público de habitação?
   A) Empréstimos estudantis.
   B) Água.
   C) Eletricidade.
   D) Internet.

3. Ao limpar a cozinha, Gabriel não...
   A) esfregou os balcões com desinfetante.
   B) jogou fora a comida vencida.
   C) esfregou o chão.
   D) varreu o chão com sua vassoura e pá de lixo.

4. Qual é, geralmente, a forma mais rápida para cozinhar alimentos?
   A) O fogão
   B) O micro-ondas
   C) O forno
   D) O mini forno

5. Onde Gabriel encontrou seus fones de ouvido?
   A) No quarto
   B) No armário
   C) Na máquina de lavar roupas
   D) Na sala de estar

English Translation

It was a Sunday afternoon. Gabriel had no particular plans, so he slept in and allowed himself to catch up on sleep he had missed during the week. It would not be a completely lazy day though, for he had a number of household chores to do.

Perhaps most important of all were the unpaid bills that needed to be taken care of. Housing isn't free, after all. Rent, electricity, water, internet, student loans, and phone plans all have payments due. Thanks to technology, however, all of these can be paid online without leaving the house.

Next, the laundry had piled up over the week, and a few loads would be necessary for the upcoming week. He never bothered to sort his laundry into whites, darks, and colors; instead, he would just throw as much as he could in each load, pour in some laundry detergent and fabric softener, and run the laundry machine.

While he waited for each load to finish, he figured he would stay productive by doing the dishes and vacuuming the house. Gabriel's house was by no means spotless, but he did just a little bit each week to maintain what he could. This week, he would do some extra work in the kitchen. He cleaned out the fridge by throwing away expired foods. He also scrubbed the counters with disinfectant and brushed off all food crumbs to the floor. And he finished by sweeping the floor with his broom and dustpan. Mopping could wait another week, he thought.

Gabriel was more interested in spending the rest of his day at the computer playing video games. He was a fan of strategy games and could spend hours coming up with new strategies to try out against his friends online and even in single player games. When he needed a break, he would occasionally get up, peer out the windows, heat up some food in the microwave, and sit back down for more gaming.

After spending too many hours in front of the computer, a small existential crisis would occur. Was it really all that wise to spend so much time gaming when it could be used for something more meaningful? Sure, there were videos he could watch online, but would that be any different? And so, he picked up the headphones in his bedroom and started to listen to some of the audiobook recommended to him by Ana.

Listening to the book instantly felt like the right use of his time and even opened up the opportunity for some self-reflection. As he kept listening, he wandered around his house. He opened and closed his closet doors for no particular reason. He put his hand on the couch and let it glide over as he walked across. There was no dining room table to repeat this action, as he lived by himself and usually ate in the kitchen or out on the balcony.

Before he knew it, it was 10:00 pm. It was time for bed. While he didn't finish the audiobook, he certainly had something new to talk about next weekend when he would go to the family gathering. He could even bring Ana and introduce her to his parents as the one who introduced him to the book.

CAPÍTULO SETE: FAMÍLIA E TRABALHO

Ana alegremente concordou em acompanhar Gabriel em sua visita à família no final de semana seguinte. Agora, eles eram oficialmente um casal, e seria um bom momento para ele apresentá-la à mãe, ao pai e aos irmãos.

Também no encontro estava o tio de Gabriel, chamado Marcos. Marcos era engenheiro mecânico, que trabalhava em todos os tipos de máquinas, incluindo turbinas a vapor e a gás e geradores elétricos. Ele era um homem extremamente inteligente, que ajudou a orientar Gabriel em sua juventude.

Enquanto conversava com seu tio, ele percebeu que seus dois primos, José e Adriana, estavam em segundo plano. Quando crianças, os três saíram frequentemente e compartilharam muitas memórias da infância. Infelizmente, eles se separaram à medida que cresciam e perderam contato uns com os outros quando entraram no mercado de trabalho. José acabou trabalhando em uma posição administrativa em uma loja de varejo. E Adriana era cabeleireira em meio período, mas mãe em tempo integral.

Ana não conhecia ninguém no evento além de Gabriel. Então, foi difícil para ela fazer contato com alguém. Mas ela foi capaz de conhecer, pelo menos, uma pessoa no evento. Esta pessoa era a cunhada de Gabriel, Aline. Desde o primeiro momento, as duas se deram bem e estabeleceram um relacionamento instantâneo. Ana era jornalista de profissão e Aline era escritora de um programa de televisão, produzido pela mesma empresa de mídia em que trabalhavam. Enquanto eles tinham se visto pelo escritório, nunca tinham se encontrado até agora.

No final, havia muitas pessoas para Ana, e até mesmo Gabriel, conhecerem. Eles rapidamente disseram um alô para sua avó e suas tias, mas nunca tiveram a chance de cumprimentar seus sobrinhos e sobrinhas. Todas as crianças estavam ocupadas brincando, juntas, no quintal.

A família conseguiu tirar uma foto em grupo, inclusive com Ana, que foi convidada a participar. Todos os anos, o pai de Gabriel é aquele que tem a tarefa de criar a melhor foto de família possível. O que faz sentido, já que ele é um fotógrafo profissional.

O Sol começou a se por, e já estava ficando tarde. Quando todos estavam saindo, Gabriel teve outra oportunidade de falar com seu tio Marcos. Ele expressou preocupação com o esgotamento de seu emprego atual na companhia de seguros e estava considerando alguns possíveis caminhos que poderia seguir. Tio Marcos o aconselhou Gabriel que, embora ele não tivesse certeza de onde ele queria trabalhar no futuro, definitivamente deveria começar a ter aulas o mais rápido possível. Esperar para começar era a pior coisa que poderia fazer.

Vocabulário

- família e trabalho — family and work
- alegremente — happily
- acompanhar — to accompany
- oficialmente — officially
- um bom momento para — to be a good time to
- mãe — mother
- pai — father
- irmãos — brothers
- encontro — gathering
- tio — uncle
- engenheiro mecânico — mechanical engineer
- máquinas — machines
- turbinas a vapor e a gás — steam and gas turbines
- geradores elétricos — electric generators
- extremamente inteligente — extremely intelligent
- orientar — to guide
- juventude — youth
- primos(as) — cousins
- em segundo plano — in the background
- crianças — children

- lembranças de infância — childhood memories
- crescer — to grow up
- perder contato — to lose contact
- mercado de trabalho — job market
- posição administrativa — administrative position
- loja de varejo — retail store
- cabeleireiro(a) — hairdresser
- meio período — part-time
- tempo integral — full-time
- além — besides
- evento — event
- cunhada — sister-in-law
- dar-se bem — to get along with
- estabelecer — to establish
- relacionamento instantâneo — instant rapport
- jornalista — journalist
- de profissão — by profession, by trade
- escritor(a) — writer
- programa de televisão — tv show
- produzido(a) por — produced by
- empresa de mídia — media company

- avó — grandmother
- tias — aunts
- cumprimentar — to greet
- sobrinhas — nieces
- sobrinhos — nephews
- quintal — backyard
- tirar uma foto — to take a picture
- foto em grupo — group photo
- participar — to participate
- fotógrafo(a) — photographer
- Sol — sun
- expressar — to express
- preocupação — worry, concern
- esgotamento — exhaustion
- considerar — to consider
- caminhos possíveis — possible paths
- seguir — to follow, to go
- aconselhar — to advise
- certeza — certain
- definitivamente — definitely

Perguntas de compreensão

1. Qual é a profissão do tio de Gabriel?
   A) Engenheiro elétrico
   B) Engenheiro civil
   C) Engenheiro químico
   D) Engenheiro mecânico

2. Os pais de José e Adriana são de Gabriel:
   A) Avô e avó.
   B) Mãe e pai.
   C) Tia e tio.
   D) Irmão e irmã.

3. A cunhada de Gabriel é casada com quem?
   A) Com o irmão dele.
   B) Com o pai dele.
   C) Com o primo dele.
   D) Com o chefe dele.

4. Onde as crianças estavam brincando durante a reunião de família?
   A) Na escola
   B) Na casa
   C) No quintal
   D) Na sala de brinquedos

5. Quando você é altamente qualificado para fazer um trabalho, eles dizem que você é...
   A) um amador.
   B) uma força de trabalho.
   C) uma ocupação.
   D) um profissional.

English Translation

Ana happily agreed to accompany Gabriel on his visit to his family gathering the following weekend. They were now officially a couple, and it would be a good time to introduce her to his mother, father, and brothers.

Also at the get-together was Gabriel's uncle, named Marcos. Marcos was a mechanical engineer, who worked on all kinds of machines, including steam and gas turbines and electric generators. He was an extremely intelligent man, who helped guide Gabriel in his younger years.

While chatting with his uncle, he noticed his two cousins José and Adriana in the background. The three of them hung out quite frequently as kids and shared a lot of childhood memories. They grew apart as they got older, unfortunately, and lost contact with one another as they entered the workforce. José ended up working his way up to a management position at a retail store. And Adriana was a part-time hairdresser but a full-time mom.

Ana didn't know anyone at the event besides Gabriel, so it was difficult for her to connect with anyone there. But she was able to get to know at least one person at the event. This person was Gabriel's sister-in-law Aline. From the very get-go, the two hit it off and established an instant rapport. Ana was a journalist by trade, and Aline was a writer for a TV show that was produced by the same media company they both worked for. While they had seen each other around the office, they had never met until now.

In the end, there were just too many people for Ana to meet and even for Gabriel to catch up with. They briefly said hello to his grandmother and aunts, but they never got the chance to greet his nieces and nephews. All the kids were busy playing together in the backyard.

The family was able to take a group photo, which included Ana, who was invited to join in. Every year, it's Gabriel's dad who is given the task to create the best family photo possible. Leaving the task to him makes sense, given that he's a professional photographer.

The sun started going down, and the day was growing late. As everyone was leaving, Gabriel had another opportunity to speak with his Uncle Marcos. He voiced his concerns about burning out at his current job at the insurance company and was considering a few possible paths he could take. Uncle Marcos advised him that, even though he's not sure where he wants to work in the future, he should definitely start taking classes as soon as possible. Waiting to start was the worst thing he could possibly do.

CAPÍTULO OITO: EDUCAÇÃO

Com um emprego em tempo integral e uma namorada, a agenda de Gabriel era bastante apertada. Mas, para ter um futuro melhor, ele se matriculou em um programa de pós-graduação em economia na universidade local. Gabriel já havia concluído um curso de graduação e formou-se em Filosofia. Mas, como na maioria dos cursos de artes liberais, não era a melhor opção para procurar emprego e iniciar uma carreira.

Desta vez, seria diferente. Com muito mais experiência e sabedoria, esta oportunidade de continuar sua educação não seria perdida. Um programa de pós-graduação em economia seria um desafio formidável, mas, se conseguisse, as recompensas seriam ótimas. As aulas que ele fez na faculdade da comunidade seriam uma caminhada, comparadas a isso. Isso exigiria estudo intenso e perseverança.

Os livros didáticos costumam ser muito mais úteis do que as conferências. Alguns dos professores com quem ele falou explicaram de maneira tão tediosa, que era incrivelmente difícil manter o foco na aula. Ele poderia passar metade do tempo lendo os capítulos do livro e obtendo o dobro da informação que aprendeu na sala de conferências. No entanto, assistentes de professores foram muito úteis, pois eles poderiam explicar conceitos complexos usando uma linguagem muito básica.

Para manter a informação, era necessário fazer um trabalho sério fora da sala de aula. Os grupos de estudo organizados pelos alunos foram essenciais para dar a Gabriel a motivação e a orientação necessárias para ter um bom desempenho no curso. Nos grupos, os alunos compartilharam as anotações que fizeram em sala de aula e revisaram as informações que eles achavam que apareceriam nos exames. No entanto, nem todo esse tempo foi sério, já que houve várias pausas em que a conversa foi incentivada como meio de descarregar o estresse e a frustração acumulados.

O final do primeiro ano estava se aproximando e a ansiedade enchia a sala de aula durante as últimas conferências. No teste, seriam apenas perguntas dissertativas; não haveria múltipla escolha. Estudar demais antes do exame não levaria você a lugar nenhum, neste teste. Você precisava saber as informações certas para obter uma boa nota. Gabriel e todos os seus colegas de classe pagavam altas mensalidades, mas nem todo mundo passava no exame. Seriam aprovados com notas altas aqueles que compareceram às conferências, participaram dos grupos de estudo e leram muito.

Foi como aprender uma língua estrangeira. Aqueles que fazem o melhor que podem são os que mergulham no idioma estrangeiro. Eles leem o máximo possível no idioma que querem aprender e, quando não puderem mais ler, passam todo o tempo livre ouvindo-o. A imersão tem prioridade sobre seus antigos *hobbies* e estilos de vida. É assim que eles alcançam altos níveis de fluidez na língua estrangeira.

A questão não é se Gabriel passou ou não no exame final. A verdadeira questão é se você fará ou não o que é necessário para alcançar a fluência.

Feliz estudo. E obrigado pela leitura!

Vocabulário

- educação — education
- namorada — girlfriend
- agenda — schedule
- apertado(a) — tight
- matricular-se — to enroll
- programa de pós-graduação — graduate program
- economia — economics
- universidade — university
- concluir — to complete
- curso de graduação — undergraduate course
- formar-se — to graduate
- filosofia — philosophy
- artes liberais — liberal arts
- procurar emprego — to look for a job
- iniciar uma carreira — to start a career
- experiência — experience
- sabedoria — wisdom
- desafio formidável — formidable challenge
- recompensas — rewards
- faculdade comunitária — community college

- comparar — to compare
- exigir — to require
- estudo intenso — intense study
- perseverança — perseverance
- livros didáticos — textbooks
- úteis — useful
- conferências — lectures
- professores(as) — professors
- explicar — to explain
- tediosa(o) — tedious
- incrivelmente — incredibly
- manter o foco — to maintain focus
- metade — half
- capítulos — chapters
- dobro — double
- informação — information
- aprender — to learn
- sala de conferências — lecture hall
- assistentes de professores — teacher assistants
- conceitos complexos — complex concepts
- linguagem básica — basic language

- trabalho sério — serious work
- sala de aula — classroom
- grupos de estudo — study groups
- organizar — to organize
- alunos(as) — students
- essencial — essential
- motivação — motivation
- orientação — guidance
- desempenho — performance
- anotações — notes
- revisar as informações — to review information
- exames — exams
- incentivar — to encourage
- como meio de — as a means of
- descarregar — to relieve
- frustração — frustration
- aproximar-se — to approach
- teste — test
- perguntas dissertativas — essay questions
- múltipla escolha — multiple choice
- estudar demais — to cram

- certo — certain
- boa nota — good grade
- colegas de classe — classmates
- mensalidades — tuition
- passar no exame — to pass the exam
- ser aprovado(a) — to be approved
- notas altas — high marks
- comparecer — to attend
- língua estrangeira — foreign language
- mergulhar — to immerse
- idioma — language
- o máximo possível — as much as possible
- tempo livre — free time
- imersão — immersion
- prioridade — priority
- estilos de vida — lifestyles
- alcançar — to achieve
- fluidez — fluency

Perguntas de compreensão

1. Onde Gabriel está tendo aulas de economia?
   A) Através de um programa on-line.
   B) Em uma universidade local.
   C) Em um colégio da comunidade.
   D) Através de um tutor.

2. Quando dizemos que um desafio é formidável, queremos dizer que é ...
   A) fácil.
   B) impossível.
   C) intimidante.
   D) possível.

3. Qual foi o problema com as conferências?
   A) As aulas aconteciam tarde da noite.
   B) Os amigos de Gabriel estavam conversando durante a aula.
   C) As explicações do professor eram muito complicadas.
   D) O professor não gostou dos alunos.

4. Quem organizou os grupos de estudo?
   A) Os alunos
   B) Os assistentes dos professores
   C) Gabriel
   D) O professor

5. Que tipo de teste foi o exame final?
   A) Todas as Tudo com múltiplas opções.
   B) Uma mistura entre questões de múltipla escolha e redação.
   C) Uma mistura entre estudar mais antes do exame e as altas mensalidades.
   D) Apenas questões de redação.

English Translation

With a full-time job and a girlfriend, Gabriel's schedule was pretty tightly packed. But for the sake of a better future, he enrolled in a graduate program for economics at his local university. Gabriel had already completed an undergraduate program and graduated with a bachelor's degree in philosophy, yet like most liberal arts degrees, it was not the greatest choice for seeking employment and starting a career.

This time would be different. With much more experience and wisdom, this opportunity to further his education would not go wasted. A graduate program in economics was going to be a formidable challenge, but if he succeeded, the rewards would be great. The classes he took at community college would be a cakewalk compared to this. Intense study and perseverance would be required.

The textbooks would often prove to be much more useful than the lectures. Some of the professors he had talked with such long-winded delivery that it was incredibly difficult to maintain focus in class. He could spend half the time reading chapters from the book and come away with double the information he got in the lecture hall. The teacher assistants, however, were most helpful, as they could explain complex concepts using very basic language.

To make the information stick, serious work was needed to be done outside the classroom. Study groups organized by students were instrumental in providing Gabriel the motivation and drive required to do well in the course. In the groups, students shared the notes they took in class and reviewed the information they thought would appear on the exams. Not all this time was serious though, as there were multiple breaks where chit-chat was encouraged as a means to vent built-up stress and frustration.

Finals for the first year were approaching, and anxiety filled the classroom during the last few lectures. On the test would be essay questions only; there would be no multiple choice. Cramming wasn't going to get you anywhere on this test. You had to know the information in order to get a good grade. Gabriel and all his classmates paid hefty tuition fees, but not all would pass the test. It would be those who attended the lectures, participated in the study groups, and read extensively that would pass with high marks.

It was very much like learning a foreign language. Those who do the best are those who immerse themselves in the foreign language. They read as much as possible in the target language, and when they can no longer read, they spend all their free time listening to the target language. Immersion takes precedence over their old hobbies and lifestyles. That's how they achieve high levels of fluency.

The question is not whether or not Gabriel passed the final exam. The true question is whether or not you will do what it takes in order to achieve fluency.

Happy studying! And thank you for reading!

DID YOU ENJOY THE READ?

Thank you so much for taking the time to read our book! We hope you have enjoyed it and learned tons of vocabulary in the process.

If you would like to support our work, please consider writing a customer review on Amazon, Goodreads, or wherever you purchased our book from. It would mean the world to us!

We read each and every single review posted, and we use all the feedback we receive to write even better books.

ANSWER KEY

Chapter 1:
1) C
2) D
3) B
4) C
5) C

Chapter 2:
1) B
2) C
3) A
4) D
5) B

Chapter 3:
1) D
2) B
3) A
4) C
5) C

Chapter 4:
1) D
2) C
3) A
4) D

Chapter 5:
1) D
2) C
3) A
4) C
5) B

Chapter 6:
1) B
2) A
3) C
4) B
5) A

Chapter 7:
1) D
2) C
3) A
4) C
5) D

Chapter 8:
1) B
2) C
3) C
4) A

CPSIA information can be obtained
at www.ICGtesting.com
Printed in the USA
LVHW031349311220
675393LV00006B/1111

9 781950 321230